小蜜蜂嗡嗡

[日]长谷川佳子／文·图　彭懿　周龙梅／译

河北出版传媒集团 ▪ 河北少年儿童出版社

小蜜蜂嗡嗡，
嗡嗡嗡，
嗡嗡嗡，
你要去哪里？

“我呀，
我要去一个好地方。”

"花姐姐，你好！
我们一起玩儿吧。"

嗡嗡最喜欢花了。

塔啦塔，塔啦塔，
嗡嗡和花一起
跳起了舞。

踩着舞步，
咚咚咚。

用花粉化妆，
啪啪啪。

在那朵花上滚啊滚。

在这朵花上跳啊跳。

肚子饿了怎么办？

"吃甜甜的蜜呗。"

玩儿够了，玩儿累了，
嗡嗡躺在花床上，
晃晃悠悠睡午觉。
嗡嗡和花是好朋友。

小蜜蜂嗡嗡，
嗡嗡嗡，
嗡嗡嗡，
你要去哪里？

"今天也去和花玩儿。"

"啊,
花瓣都落了!"

"花姐姐不见了，
没人和我玩儿了。"
嗡嗡伤心地哭了。

这时，太阳公公说：
"嗡嗡别担心，会有人和你玩儿的。"
风阿姨也说：
"嗡嗡不用哭，马上就有好事发生。"

没过多久……

哎？
花的中央鼓了起来。

鼓啊鼓，
越鼓越大。

哎呀，哎呀，
哎呀呀。

嘿嘿嘿。

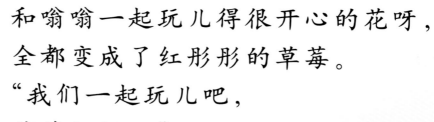

和嗡嗡一起玩儿得很开心的花呀，
全都变成了红彤彤的草莓。
"我们一起玩儿吧，
草莓姐姐！"

让人佩服的植物

热带森林里的榴莲树，粗大的树干上吊着巨大的果实，等待着大象的到来。大象张开大嘴大吃大嚼，连种子也一块儿吃了下去。不久，种子连同大象的粪便一起掉在了地面上。让大象把种子运到遥远的地方去发芽，是榴莲的战术。

草莓在花里准备好甜甜的蜜，等待蜜蜂的到来。蜜蜂采蜜时，身上沾满了花粉。沾着花粉的蜜蜂又飞到别的花上去采蜜。通过蜜蜂搬运花粉进行授粉，是草莓的战术。

榴莲通过大象繁衍子孙，草莓通过蜜蜂结出果实。利用动物繁衍后代……也许正是不能移动的植物们的生存智慧吧？

想到这里，我不禁觉得植物是多么聪明的生物啊，太让人佩服了。

此外，采蜜的蜜蜂、吃水果的毛毛虫，看上去比植物优越，其实却稀里糊涂地被植物们利用了。这一点也让我觉得妙趣横生。

长谷川佳子

长谷川佳子

出生于日本东京。明治大学短期大学法律专业毕业。做过白领，后从事插图和绘本创作。绘本作品有《招财猫和老奶奶》《恭喜你小宝宝》。